Mamá Maravilla

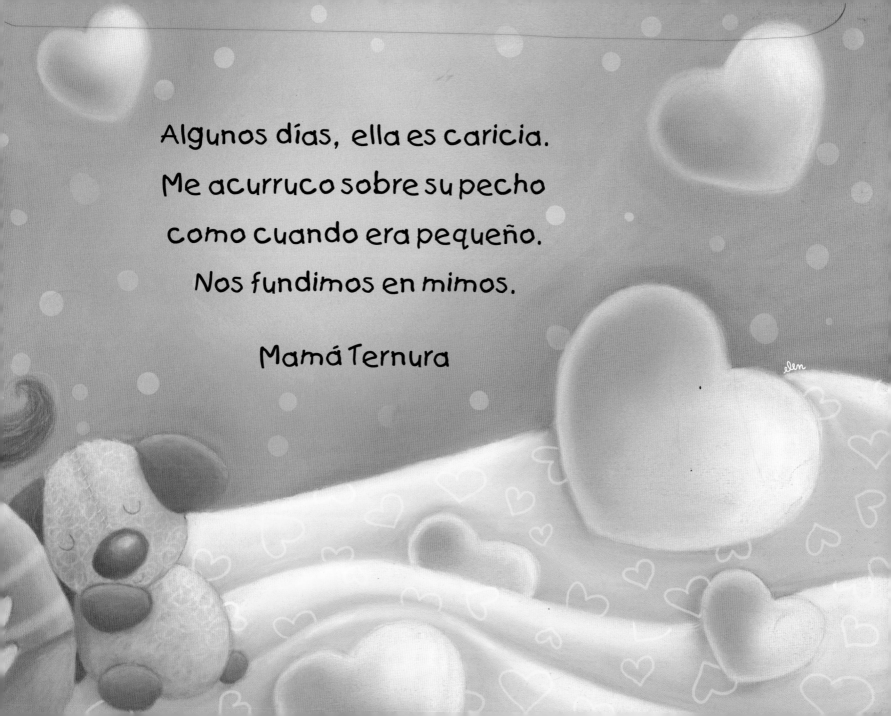

Algunos días, ella es caricia.
Me acurruco sobre su pecho
como cuando era pequeño.
Nos fundimos en mimos.

Mamá Ternura

Algunos días, ella es un misterio,

ella sueña,

su cabeza está en otra parte.

Yo diría que está

en otra galaxia.

Mamá OVNI

Algunos días, ella es olor:
Vainilla, rosa o jazmín.
Me siento tan bien cerca de ella,
al respirar su perfume.

Mamá Flor

Algunos días, ella es el sol y brilla, deslumbra. Lleva un bonito vestido y sus pendientes en las orejas.

Mamá Maravilla

Algunos días está triste,
se apaga, el mundo es gris.
Me hago pequeño y bueno.

Mamá Nublada

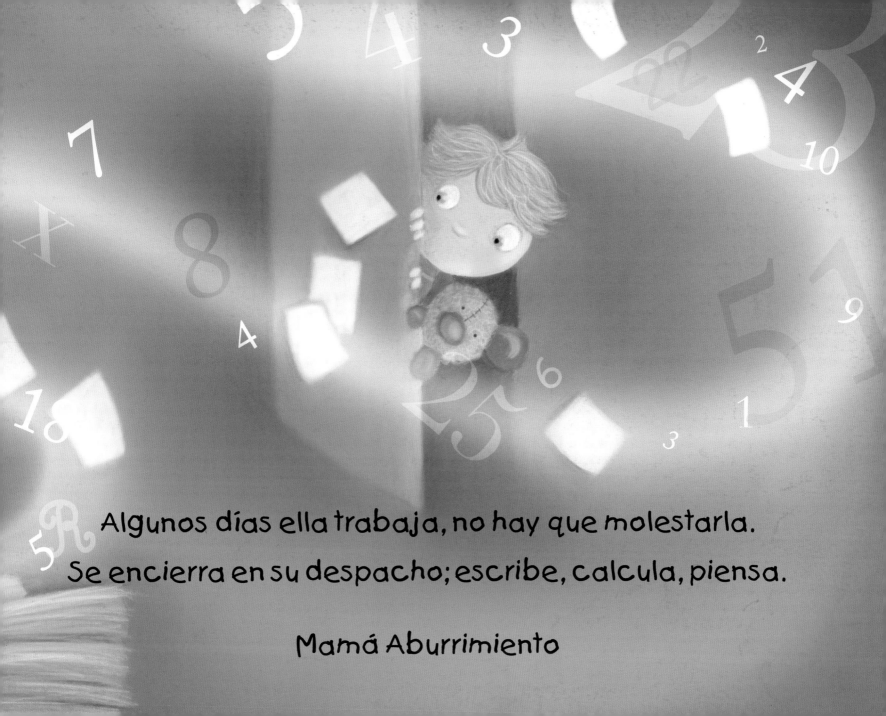

Algunos días ella trabaja, no hay que molestarla.
Se encierra en su despacho; escribe, calcula, piensa.

Mamá Aburrimiento

Algunos días ella está enfadada, sus ojos lanzan relámpagos.
Me gustaría meterme bajo tierra como una pequeña lombriz.

Mamá Trueno

Algunos días, ella está alegre
llena de risas y de tonterías.
Vamos de pic-nic, nos escondemos,
nos disfrazamos.

Mamá Sorpresa

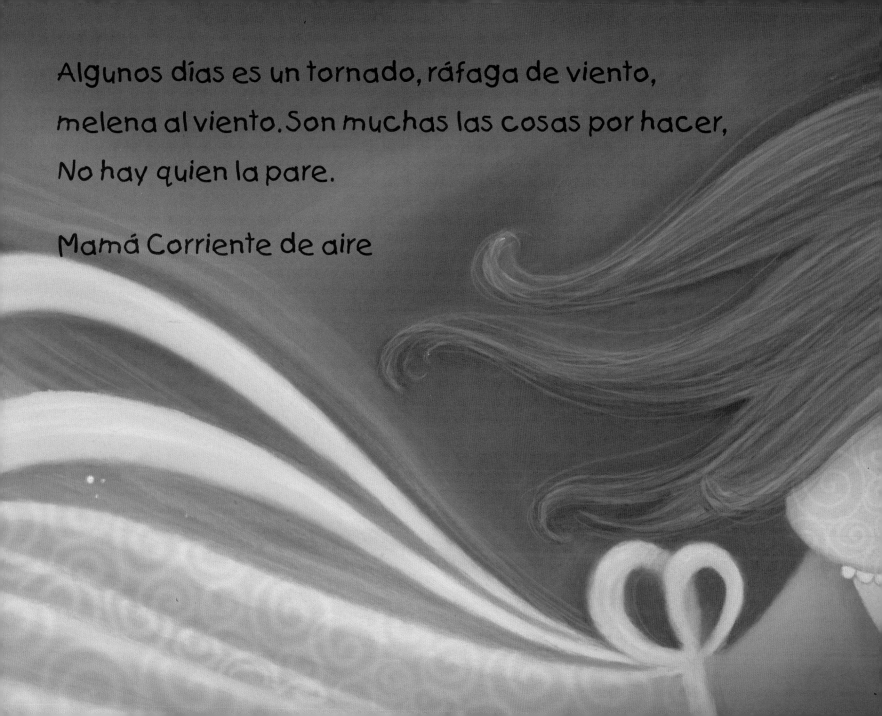

Algunos días es un tornado, ráfaga de viento,

melena al viento. Son muchas las cosas por hacer,

No hay quien la pare.

Mamá Corriente de aire

Algunos días ella es dulce.
Cocina pasteles y compra
golosinas que devoramos al instante.

Mamá Golosina

Algunos días ella es música,
canta, sube el volumen.
Bailamos en el salón,
la casa es una fiesta.

Mamá Canción

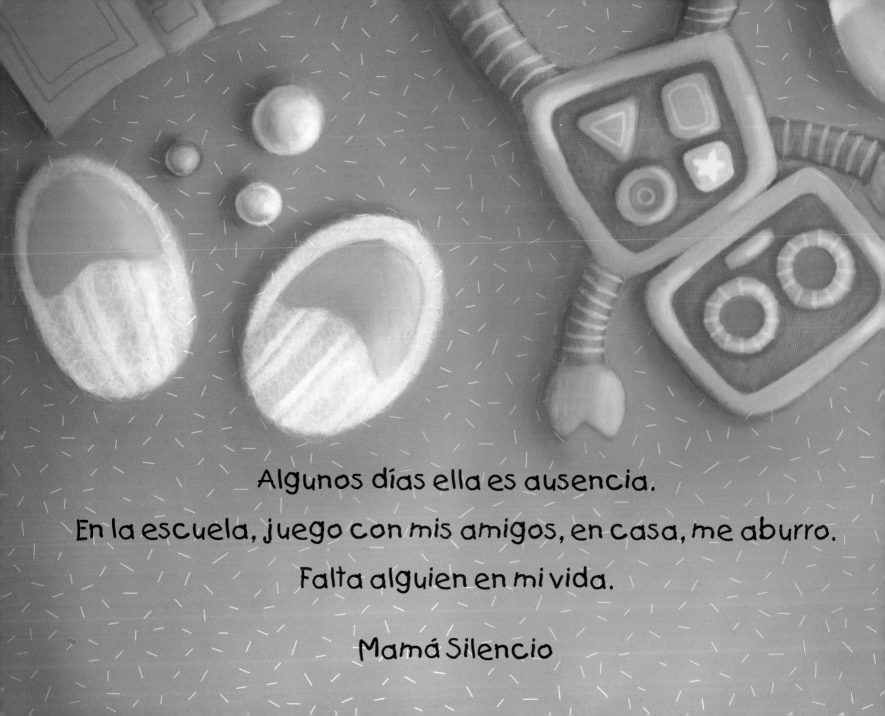

Algunos días ella es ausencia.

En la escuela, juego con mis amigos, en casa, me aburro.

Falta alguien en mi vida.

Mamá Silencio

Pero cuando vuelve,

¡Qué fiesta! ¡Tengo tanto que contarle!

Ella se ríe, se sacude la cabeza,

es la más bonita.

Mi mamita querida